Cosas que me gustan de

Mis amigos

Trace Moroney

Me gustan mucho

mis amigos
y los quiero mucho.

Me gusta jugar con ellos,
compartir cosas,
pasar tiempo con ellos,

hablar de cómo nos sentimos,
pasar la noche riendo
y hablando.

Mis amigos son amables
y cariñosos conmigo.
Les gusta cómo soy
y eso hace que yo me sienta bien
siendo yo.

A unas personas les gusta tener muchos amigos

mientras que a otras les gusta tener uno o dos.

Mi mejor amiga se llama Ana.
De todos mis amigos es con la que prefiero
pasar más tiempo. Es cariñosa,
simpática y muy alegre.
Y de todos mis amigos
es la que mejor me entiende.

Tenemos gustos muy parecidos:
a los dos nos gusta el helado, las fresas,
ver películas, ir de camping, jugar y patinar...
¡con todos nuestros amigos!

Para ser amigos no hace falta ser **exactamente** iguales
o que os gusten **exactamente** las mismas cosas.

A veces lo que más me gusta de mis amigos
es lo que los diferencia de mí.

Siempre intento ser un buen amigo.
Estas son las cosas que creo que hacen de mí
un buen amigo:

Pienso
en cómo
se sienten
mis amigos.

Soy amable
y cariñoso
con ellos.

Les ayudo
cuando
lo necesitan.

Los escucho
cuando
necesitan
hablar.

Soy honesto
y sincero
con ellos.

Me interesa
lo que piensan
y lo que hacen.

Mis amigos me consuelan cuando estoy triste
o desilusionado

y se alegran mucho cuando me ocurre algo bueno
o cuando hago algo bien.
Y lo mismo me pasa a mí con ellos.
¡Por eso somos amigos!

Compartimos todo lo que pensamos
y sentimos

y lo pasamos muy bien juntos.

También nos gusta mucho hablar
de nuestros planes y sueños.

Me gusta mucho estar
con mis amigos.

Para **tener** buenos amigos
tienes que **ser** un buen amigo.

Quiero mucho a mis amigos.

NOTA PARA LOS PADRES

La autoestima es la clave

La colección **Cosas que me gustan de** muestra ejemplos sencillos de situaciones cotidianas de los niños para, a partir de ellos, generar un pensamiento positivo.

Tener una actitud positiva es, simplemente, ser optimista por naturaleza y mantener un buen estado de ánimo. Pero ser positivo no significa no ser realista. Las personas positivas reconocen que las cosas malas pueden ocurrir tanto a personas optimistas como pesimistas; sin embargo, las personas positivas buscan siempre la mejor manera posible de resolver problemas.

Los investigadores de la psicología positiva han comprobado que las personas con actitud positiva son más creativas, tolerantes, generosas, constructivas y abiertas a nuevas ideas y experiencias que aquellas con una actitud negativa. Las personas positivas tienen relaciones personales más satisfactorias y una mayor capacidad para el amor y la alegría. Además, son más alegres, sanas y longevas.

En este libro he usado muchas veces la palabra *gustar* ya que es una palabra simple pero poderosa que se usa para enfatizar nuestro pensamiento positivo sobre las personas, cosas, situaciones y experiencias. Creo que es la palabra que mejor describe el *sentimiento* de vivir de manera optimista y positiva.

LOS AMIGOS

La amistad es una relación en la que cada persona siente el cariño, el amor, la comprensión, la amabilidad, el apoyo y la autenticidad de la otra. La amistad influye mucho en que nos sintamos bien, tanto física como psicológicamente y si tenemos buenos amigos estamos más sanos y contentos y vivimos más tiempo.

Las relaciones entre iguales son muy importantes para el desarrollo del niño. Sirven para que se sienta bien y pueda intercambiar ideas, intereses y sentimientos, y son muy importantes para que desarrolle habilidades sociales. Los niños que muestran buena voluntad, que ayudan a los demás, que se saben comunicar y no son agresivos tienen más probabilidades de tener buenos amigos y de ser populares.

Varios estudios concluyen que los niños que tienen un buen vínculo con sus padres tienen más facilidad para hacer amigos y ser buenos amigos. Como padres podéis ayudar a vuestros hijos a desarrollar relaciones positivas entre iguales enseñándoles lo que es la empatía, la habilidad de ponerse en el lugar del otro; ayudándoles a que desarrollen una buena comunicación verbal y habilidades sociales, que tengan autocontrol, que sean amables con los demás (que compartan sus cosas con otros, los escuchen, los ayuden) y que se diviertan, rían y sean niños felices.

Trace Moroney

Trace Moroney es una autora e ilustradora de éxito internacional.
Se han vendido más de tres millones de ejemplares de sus libros,
traducidos a quince idiomas.

Primera edición: marzo de 2012
Segunda edición: julio de 2013

Título original: *The Things I love about Friends*
Dirección editorial: Elsa Aguiar
Coordinación editorial: Teresa Tellechea
Traducción del inglés: Teresa Tellechea
Publicado por primera vez en 2011 por The Five Mile Press Pty Ltd
1 Centre Road, Victoria 3179, Australia
© del texto y de las ilustraciones: Trace Moroney, 2011
© The Five Mile Press Pty Ltd, 2011
© Ediciones SM, 2012
Impresores, 2 - Urbanización Prado del Espino
28660 Boadilla del Monte (Madrid)
www.grupo-sm.com

Atención al Cliente
Tel.: 902 121 323
Fax: 902 241 222
clientes@grupo-sm.com

ISBN: 978-84-675-5176-1
Impreso en China / *Printed in China*